도서명:유튜브가이드

발행:2024년 1월 19일

저자명:안수완

펴낸이:한건희

펴낸곳:주식회사 부크크

출판사등록2014.07.15.(제2014-16호)

주 소:서울특별시 금천구 가산디지털 1로 119 sk트윈타워 A동 305호

전화:1670-8316

이메일:info@bookk.co.kr

ISBN:979-11-410-6767-0

www.bookk.co.kr

유튜브시작방법

1.유튜브가입

유튜브채널개설가능

15분미만의동영상업로드가능

재생목록만들기

계정인증1.전화번호인증

계정인증이끝난다음

15분 이상 영상업로드가능

맞춤 썸네일 사용

컴퓨터 라이브 방송 컴퓨터로 라이브 스트리밍 기능 설정후 24시간 후부터 사용 가능합니다.

저작권 신고 이의 제기 가능

시리즈 재생목록 내 채널의 공식 동영상 모음집

다만 같은 전화번호로 인증 가능한 채널은 1년에2개만 가능합니다.

매일 올릴수 있는 동영상 의 갯수 가 제안됨니다.

개인유튜버는문제안됨

게임이나회사나스튜디오등등하루에영상을여러게올려야하는경우

2단계인증:더 많은 동영상 가능

더 많은 라이브 가능

더 많은 쇼츠 가능

실시간 라이브 삽입

수익창출 조건 중 하나

2번째인증하는방법:최근 2달간 정상적인 채널 활동이 확인되는 경우,방법2.카메라얼굴인증,신분증인증 신원인증단계

신분증은2달후 자동삭제됩니다.

신분증 올리는곳:내채널에서 유튜브스튜디오 에들어가서

설정클릭,채널클릭,기능사용자격요건,고급기능에서 유효한신분증에서 올리면됩니다.

유튜브 기능들은 채널 구독자수와 깊은연관이 있습니다.
구독자수50명:스마트폰으로 라이브 방송 가능
구독자수100명:채널 운영30일,내 프로필 사진,내 배너 이미지,맞춤URL사용가능(인터넷 주소)가있습니다.
구독자수500명:아동용 채널 아님,커뮤니티 탭사용 멘션@기능사용가능,
구독자수1000명:무제한 스마트폰 라이브,유튜브 파트너스 가입이가능
라이브 방송중 팁:수퍼챗,수퍼스티커입니다.
녹화 방송중 팁:수퍼땡스
채널 정기후원(채널 멤버십)시청자가 매달 후원가능
구독자수1만명:유튜브 스토리 사용,수익창출 하나 더+상품 섹션(자격요건:구독자1만 명 유튜브 파트너스 아동용 채널 아님 유튜브 정책과 커뮤니티 가이드 광고 정책 준수
구독자수10만명:실버레벨 부터는 유튜브가 실버버튼 을집으로배송해줍니다.
백만명:골드버튼
천만명:다이아몬드버튼
일억명:빨간다이아몬드버튼

유튜브 시작하는 순서

1.채널 만들기2.동영상 촬영 3.동영상 업로드(비공개)4.(동영상공개)

채널아트만들기,동영상 편집,썸네일만들기,최종화면+카드,재생목록만들기

1.유튜브가입,채널아트만들기,동영상촬영,동영상편집,동영상업로드+썸네일만들기+최종화면카드+재생목록만들기)동영상공개

저작권문제

저작권 소유자가 업로드된 특정 콘텐츠에 대해 유효한 법적 신고를YouTube에제출했을 경우:저작권 게시 중단 요청 저작권 위반 경고를해결하는방법90일 후경고가 소멸될 때 까지기다리기 저작권 소유자에게 신고 철회 요청

반론 통지 제출하기 저작권위반경고를3번받을시 유튜브계정정지됩니다.

1.버는돈 구독자1명당10원에서100원

2.수익창출방법:유튜브광고,유튜브내에서수익획득방법(유튜브광고),유튜제공하지않지만
허용하는법:브렌드광고,커머스

3.유튜브 광고와 CPM 올리기:조회수,시청시간

키즈채널

아동 정보 수집COPPA 연방 거래 위원회(FTC)에서 시행하는 아동 정보 보호법
모든 영상에 아동용 여부를 묻는 설정이 생겼습니다.
모든 영상에는 아동용인지를 밝혀야합니다.
아동용 영상 판단 기준
동영상에서 어떤 주제를 다루는지
동영상의 의도한 시청자가 아동인지
동영상에 어린이 배우나 모델이 나오는지
동영상에 어린이의 관심을 끌만한 만화주인공이나유명인,캐릭터,장난감등이 나오는지
동영상에 나오는 말이 아동을 위한 말투와 언어인지
동영상에 어린이의 관심을 끌만한 게임 놀이 조기교육 등등이 있는지
동영상에 어린이의 관심을 끌만한 노래나 춤,시 등등이 있는지
이 외에도 상식적으로 아동을 위한 요소라고 생각되면 아동용이라고 합니다.
(단,어린이에게 인기있는 게임 모두가 해당하진 않음)

유튜브 광고수익에 대한기준 그리고 아이콘
노란 아이콘이 붙으면 수익에 큰 영향을받습니다
녹색,노란색,빨강
녹색아이콘:모든 광고가 붙을 수 있는 안전하고 걱정없는영상이다.
노란색아이콘:자극적이거나 논쟁의 여지가 있는 영상에는:노란아이콘을붙인다.
빨강아이콘:저작권 침해

유튜브커뮤니티가이드
타인을 괴롭히지않기또는
폭력적인 동영상을 게시하지않기
반복적인 댓글 게시하지 않기
가이드라인위반시:주의를받을수있다.
90일이내 커뮤니티가이드 위반경고를3번받으면채널이 영구 삭제될 수있습니

2024년출시 예정 기능 5가지

1.영상기획:고민하는시간
2.촬영 및 편집:필요동영상,음악,저작권문제
3.업로드 및 공개:영상통계분석,댓글관리,썸네일수정
영상 기획과정에서 영상 주제추천
영상 편집과정에서 무료편집 어플,쇼츠배경 제작,배경음악 추천
영상업로드후:언어더빙 출시예정

거칠단계:1.유튜브가입
　　　　　2.채널아트
　　　　　3.영상제작
　　　　　4.썸네일 제작
　　　　　5.영상+썸네일 업로드
　　　　　6.통계 확인과 분석

유튜브가입

유튜브 특징:유튜브특징:건강,시사/상식,정치,게임,먹방,예능,교육,동물,법률,뷰티

유튜브에 가입하면 좋은점:유튜브 영상에 피드백을 남길 수있다.

본인이 좋아하는 영상에 좋아요를 누를수있다.

영상에 댓글이나 채팅을 통해 채널 주인과 소통이가능하다.

내가 좋아하는 채널들만 모을수있다.

유튜브 채널 구독은 무료입니다.

내 유튜브 채널을 시작할 수 있다.

2024년 유튜브 시작늦었을까?

1.채널의 방향성 구독전환율

2024년 유튜브 시작시 채널의 방향성을 잡는 방법
1.채널브랜딩 나는(나의 고객)이(나의 콘텐츠)를 통해(원하는 결과)를 이루도록 돕는다.돕는다.구독자가 생기는 원리 중에 하나 예측 가능성
쇼츠의 효과:신규 유저를 확보가능
원소스 멀티유스란:하나의 소스를 가지고 여러 곳에 사용
인스타,틱톡,외부링크만들기
남들과 절대 비교하지마세요.
꼭시작하세요.

유튜브content ID 소유권주장의 영향을 받는 동영상을 확인하는방법

1.유튜브스튜디오 2.채널콘텐츠에들어가3.저작권침해신고필터를사용하기

내가취할수있는조치:콘텐츠삭제,이의제기방법:자격요건,이유,요구사항,근거

신고자알림전송신고자30일내응답해야합니다.취소,유지,소유권 주장 만료 되도록결할수있

다.이의제기가거부될시:항소절차:연락처 정보기입,자세한 설명이가능하다.

You Tube 영상 제목과 썸네일 제작팁

썸네일:타겟 시청자층 고려

일반 대중에게 익숙한요소 활용

내 동영상이 시청들에게 제공해주는가치

디자인팁권장사항:1280픽셀,720픽셀,16:9비율

포맷JPG,GIF,BPM,PNG

제목:검색 가능성이 높은 제목,호기심을 자극하는 제목

특정주제검색,시청자호기심유발제목

3가지팁:정확성 추구,간결하면서도 이해하기 쉬운 표현

클릭율(CTR):썸네일이 표시된 후 시청자가 동영상을 시청한 빈도

시청시간:시청자가 동영상을 신청한 시간

초보 유튜버가 꼭 알아야 하는 꿀팁

1.스케줄관리필수
2.시청스케줄만들기
보통채널업로드횟수:1주일에1개씩
3.히트 비디오
4.콘텐츠 의질이높아야한다.
　채널비주얼
5.영상 길이는 시청자들 이 지루하지않은정도의시간이10분이다.
6.시청자들에게 직접 부탁하기:(구독,좋아요,알림설정)
7.시청자 파악
8.신생 채널에게 주는 보너스:검색결과 가위에뜬다.
9.주제를 바로 알려주기
10.조회수속도 결정요소:구독자수,채널 활동량
11.CPM을 알자:내가받는돈

초보 유튜버의 흔한촬영실수

1.(화면) 가로/세로 촬영

2.말 끝에 1~2초 여유

3.카메라는 최대한 고정

4.렌즈에 시선 고정

5.마이크

6.해상도/프레임 레이트

7.용량

8.역광을 주의하자

9.필터는 한번만!

1.꽉 찬 화면을 촬영하고 싶다면 가로로 핸드폰을 놔둔다.
가로대세로16:9비율권장
유튜브 쇼츠는세로촬영

2.다른곳보지않고2초정도자세유지

3.화면이흔드린다면 삼각대,흔들림방지카메라가 있으면 좋다

4.렌즈를 보고 촬영하면 시선처리가 정확하다.

5.잡음,잡소리가많이들어간다면 카메라 를 구매하는걸 추천드립니다

6.내가 원하는 해상도와 프레임 레이트로 설정을 바꾸면된다.
화질은 3가지 단계로 구분(촬영기기,편집,시청자의화질)

7.해상도와 프레임 레이트가 높으면단점이있다.파일용량 이 엄청늘어난다.

8.사람이 해를 바라보는 방향으로 촬영을한다.

9.촬영 후 편집할 때 필터를 설정하지 않은 사람은 촬영 할때 필터를 설정할수있다.
편집할 때 필터를 따로 넣고 싶은 사람들은 촬영할때 필터를 사용 하지 않는 것을 추천
한다.필터사용은1번만합니다.

화질 좋은 영상 만들기

해상도

영상을 더 깔끔하게 정밀하게만드는방법은:해상도
영상을 더 자연 스럽고 부드럽게 만드는 방법은:프레임 레이트
해상도란:(영상이나 사진이) 얼마나 선명하게,섬세하게 보이는가에 대한 지표입니다.

프레임 레이트
영상이 얼마나 생생하고 부드럽게 보이는가에 대한 지표

유튜브 쇼츠의 모든것

새로운 시청자와 조회수를 많이 얻을수있어서유튜브 쇼츠가좋다
제작법 쇼츠 영상 조건   1.가로<세로   1분미만
플레이어에 따라서 2종류로 나눈다
플레이어란:영상이 재생될 때 보이는 화면(스타일)

유튜브 플레이어   쇼츠 플레이어

유튜브파트너스가될수있다.

유튜브 조명의 모든것
조명에 대해서

기본1:조명은 결국 빛과 그림자의 조절
기본2:빛의 온도
기본3:빛의 종류-하드라이트와소프트라이트
하드라이트는 밝다.
소프트라이트 사물을 부드럽게해준다.

조명의종류
소프트라이트 박스
LED 패널 라이트,링 라이트 등이있다.

유튜브쇼츠와 틱톡 수익구조 비교.

1.성장 기회(시청자 수):틱톡사용자수는매달10억명,유튜브쇼츠사용자수는매달25억명입니다.

2.틱톡에선하루에10억개의 영상이시청된다,유튜브쇼츠는300억의조회수를기록합니다.

3.수익 구조:틱톡하루에:$(3천원)
인스타:하루$(3천원)
페이스북:하루 $1~2 (1~2천원)
쇼츠 광고수익은45%지급
틱톡도 광고수익50%지급
수익창출 지급대상 조건:유튜브는 유튜버파트너 가되어야만수익분배 를받을수있습니다.
유튜브는:1000명구독자
최근 3개월간 천만회 조회수
틱톡대상자는:10만구독자,한달에 5개 이상업로드

그 외 혜택들

유튜브는 워낙 다양한 컨텐츠 및 영상 종류가 공존하는 플랫폼이다

틱톡은 대부분 폰은로만 이용하는것이라 이용이한정적이다.

저작권 침해 방지하는법

CCL 확인하는법인터넷:저작권 여부와관계 없이 모든사진이 검색됩니다.

인터넷CCL:사용방법:포털사이트에서사진검색 저작권 여부와관계 없이검색됩니다.
CCL여부선택:구글검색사용방법:도구,사용권,크리에이티브 커먼즈 라이선스

스마트폰으로 최종화면 붙히는법

폰으로 최종화면 붙이기
크롬브라우저로들어가서,점 세개가보이는분은 데스크톱 사이트클릭
유튜브스튜디오를클릭합니다,좌측콘텐츠버튼클릭해주세요,
최종화면을 붙히고싶은동영을 클릭 후수정 버튼 클릭합니다.
연필모양클릭,최종화면클릭,내가원하는최종화면스타일선택,바로오른쪽에미리보기
클릭후저장클릭하면,끝입니다.

재생목록을 만들어야하는 이유?

장점1.알고리즘에 유리
유튜브 추천 동영상 알고리즘에유리
장점2.쉬운 영상관리
영상관리가 쉬워진다
장점3.채널 홈화면
채널 홈화면을 꾸밀 수 있다.
장점4. 쉬운 영상 검색
내채널조회수가높아진다

유튜브 수익 정산 정책

모든 유튜브 파트너스들은 세금 정보제출 필수!

세금 정보 제출을 하지않으면 6월부터 모든 유튜브 수익 중24%를 징수
불이익이 굉장히 세기 때문에 세금 정보를 꼭 제출하세요.
한국 유튜버임을 밝히면 이득이될수있다.

스마트폰으로 유튜브에 영상 업로드,썸네일,태그와 해시태그까지알아봅시다.

스마트폰으로 유튜브에 영상 업로드하기

업로드란?
유튜브에 영상을 올리는 것을 영상 업로드라고부름니다.
썸네일 업로드
1.필요한 준비물YouTube 앱
2.YouTube Studio 앱
3.영상
4.썸네일
1내계정로그인2.더하기 버튼클릭 및에있는3.영상 제목과설명란 저장가능4.제목적기5.설명란적기6.해시태그작성(해시를적고 대표단어적기)
골뱅이(@)는타 채널을언급(멘션)하고 싶을 때 사용!

유튜브 필수 용어알아보기

1.먹방?쿡방?:먹는방송,요리하는방송

2ASMR:자연의 소리,명상 음악,음식소리

3.라이브:실시간방송,생방송

4.수퍼챗:선물이나 후원을하는것,기부

5.설명란(더보기란):채널 주인이 덧붙이고 싶은 말,영상에서 놓친 부분 등을 적어놓는칸

6.자막/해상도:자막언어,해상도:영상의 화질

7.VIog(브이로그):생각,일상을공유하는것

8.재생목록(플레이리스트):영상을 여러개 묶어놓은것을 재생목록또는플레이리스트라고부른다이라고한다.

9.좋아요/알람/구독은 몇 번 클릭:구독,알람은한번씩만 좋아요는영상마다가능합니다.

유튜브 (URL링크)가뭘까

URL＋링크＝인터넷주소
URL은 어떻게 생겼을까:https//
URL은 어디서 찾을까:화면을 상하로 움직여보기

저작권 걱정 없이 음원 사용하는 법

방법1.저작권 무료인 음원을 직접 검색해서 사용한다.
방법2.음원사이트에 돈을 내고 사용한다
방법3.유튜브가 제공하는 음악들을 사용하는 방법

컴퓨터로 영상편집하기

스마트폰 영상편집앱은 단점이(최소)2가지가있습니다.

섬세한 작업이 어렵습니다:화면이 작다보니,섬세한 작업이 힘들다.

제한적인 기능

컴퓨터로 편집 하는방법:종류와비용
편집 프로그램 들은 유명한 것들이 몇 가지 있다.대부분유료
(어도비,윈도우/맥에서 사용)(파이널 컷 프로 맥에서 사용
어도비 프리미어는 배우는 게 좀 어렵다.
(어도비 비용:2만4000원/ 월)(파이널 컷 프로)맥에서 사용 비용:369000구매할수
있다.

유튜브 컨텐츠 없이하는법

유튜브로 나의 영향력을키우자 1인 콘텐츠 시대
자기의 채널을 갖고 있는 시대가 올 것입니다.
그래서 빠르게 시작할수록 이득입니다.
1.콘텐츠 없이 유튜브 하는 법
우리의일상속에있는 모든것이콘텐츠이다.

유튜브 앱에서 영상 만들기

유튜브앱 하단 에서만들기 아이콘 을 탭하면

동영상,쇼츠,라이브,게시물
동영상업로드는휴대폰에있는기존동영상을업로드하는옵션
쇼츠 동영상을휴대전화에서 바로 촬영하고업로드할수있다.

템블릿으로 5분만에 영상 뚝딱

키네마스터 특징:유료버전의특징:워터마크를 없앨 수있다.
스토어에서 제공하는 프리미엄 에셋들 사용 가능
그리고 저작권 걱정도 없다.키네마스터에서 제공하는 모든 음악은 상업접으로
사용 가능합니다.

채널멤버십 가입/탈퇴하기

채널 멤버십이란:채널의 멤버가 되어서 정기적으로 후원해줄래요.

가입/탈퇴방법 유튜브채널 구독버튼옆에 가입이있습니다.클릭합니다.

등급 및 혜택을천천히 확인하세요.

가입버튼클릭＋결제수단선택＋카드정보적고＋구매버튼누르면 가입이완료됩니다.

채널 멤버십을탈퇴하려면:채널에서＋멤버십창으로들어간다.＋화면을맨아래로내린다 ＋내멤버십을클릭한다.＋설정버튼을클릭하면＋멤버십 및 혜택 종료버튼을클릭하면멤버에서탈퇴된다.

초보유튜버가알아야할 상식

1.파란색 시간 의미:타임스탬프
2.영상 특정 시간대를 링크로 보내기:영상에서 내가 원하는 시간대 에 마우스(커서)올려 놓고,현재 시간의 동영상 URL 복사를 클릭하면 지금 이 시간대를 링크로 복사한것이다.
3.채널 구독자 수 숨기기/보이기:컴퓨터로 유튜브스튜디오 설정+채널+고급 설정+구독자 수+저장
4.채널브랜딩:마우스(커서)를 갖다놓으면 구독버튼이생깁니다
컴퓨터로유튜브스튜디오+설정+채널+브랜딩+바꾸기+저장
5.유튜브 통계는 실시간일까:유튜브 웹사이트에서 보이는 숫자들은 실시간이아닙니다.
유튜브스튜디오가더정확한통개이다.
6.고정 댓글 의미와 용도:제일 중요한 댓글이라는 점 기억해주세요.

크리에이터 최신 업데이트 모음

쇼츠 수익공유
전통적인 보기 페이지가 없는 쇼츠 동영상
동영상 바로 뒤에 광고가 게재되는크리에이터 뿐만이 아닌
수익을 창출하는모든 크리에이터에게 보상을 제공하는 데도움이 되는 방
식 저작권 문제나 수익 감소 없이할수있다.

크리에이터 어워즈 수여자격

실버는구독자수:10만명달성
골드구독자수:100만명달성
다이아몬드:1000만명달성
레드다이아몬드1억명달성

모든 자격   기준을 충족하는지확인한다
이제 막 구독자수 기준 을 달성한상태 에서 아직 알림을 받지 못했다면
검토는최대10일소요됩니다.
활동 중인 채널이어야만한다,365 일 동안 커뮤니티 가이드를위반한 적이 없어야합니다.

유튜버 아무나 안되는이유

1한번도 해보지 않음
2즐겨보던 컨텐츠 아님
3요즘 인기 있어서 시작
시청자들은 그 분야의 찐 팬들이 대다수 인데 바로 걸립니다.

유튜브는시작은할수있지만잘못하면독이돌아온다.

　　　유튜브는엄격하고규율이어렵고,누군가잘알려주지않아요그래서대부분에유튜버들이
커뮤니티가이드를 몰라서혹은,잘읽지않아서,저작권 신고에대해 대처를 못하는경우가 거
이대부분입니다.
유튜브 채널 에선시간이걸려서그렇지 저작권 위반 동영상 바로 찾습니다.
유튜브는 살아남기 정말힘든회사입니다.
유튜브커뮤니티가이드 는 저도잘안읽습니다.
아무음악이나,동영상을복제하는건 저작권문제에걸립니다.
(저작권침해가반복되면유튜브)채널정지가 되버립니다.

구독자수,조회수,좋아요전체올리는방법;

유튜브쇼츠를지금당장부터시작하면 구독자,조회수,좋아요오릅니다.
유튜브 영상을자주올려야알고리즘이 내채널을 많이노출해줍니다.

키즈채널

영상의 주인공이 아이들인 채널

키즈채널은 유튜브 내,수익을 많이 내는 채널 주제의 하나입니다.

언어의 장벽 없이 전세계적으로 구독자를 모을 수 있고

유료 광고 제안을 받는다.

미국 연방 거래 위원회(FTC)에서 시행하는 아동 정보 보호법

유튜브에는 13세 미만의 아동 시청자들이 굉장히 많습니다.

변경사항:(아동용 여부 AI로식별)스스로설정해야한다.

체널 전체아동용설정,아님

유튜브스튜디오+설정+채널+고급설정

개별적선택가능합니다.

초등학생 청소년 유튜버 주목

원칙적으로 유튜브가 밝힌 수익창출 조건은!
 만으로18세 이상!에드센스 수익금을 지급 받을 수 있는 만18세 이상의
법적 보호자가 있다면 돈을 받을수가 있습니다.
 미성년자일때는 수익창출을 하지말기
 성인이 되었을때 수익을 신청하세요.

유튜브쇼핑버튼만들기

1.이제는 유튜브 쇼핑이 답인 이유?
레드오션:경쟁이 치열하다
2.유튜브 쇼핑버튼이 의미 하는것
 이 쇼핑 버튼의 핵심은: 그냥 사람들이눌러본다는것
3.쇼츠포함가능힙니다.
4.쇼핑 버튼 삽입방법(쇼핑몰이있어야한다.유튜브파트너채널만가능하다)

성공할수 밖에 없는 유튜버 의 특징

유튜브 성공의기본기:지속력(지속력은유튜버들은성공하게해준다.)
열린마음으로 사람들에게 필요한존재 가되기때문에 성공을할수밖에없다.

내시청자를나의고객.손님으로생각하자
시청자들에게잘대해주면 시청자들은알아서찾아옵니다.
유튜브는누구나 성공가능 합니다.
타고나는것이아닌 내가노력하면됩니다.
1개의동영상을만들더라도시청자들이좋아할영상을만들기

절대자신의 채널이안된다고 포기하지마라

언젠간채널이폭등할거라고명심하라,꼭되니깐시도라도해보고포기해라

못한다고생각하면 못한거이고 잘했다고하면잘한것이다.
유튜브채널 의 주인공 은 나 자신이다.

우리는쇼츠만 잘올린다면 그건바로:조회수,시청시간,좋아요수,구독자수걱정없습니다.
걱정하지 마시고차분한마음으로기다리세요.기다리다보면 히트 동영상이 많이 나옵니다.
지금:조회수,구독자수,시청시간 만이 안나오면 바로안되는것이라고 생각하지마세요.
유튜브는 시청자와내영상을만나게해주는 시간이꽤걸리고 그 시간이힘들다면 다른걸하세
요.유튜브는:자신감,차분한마음이중요합니다.기다리다보면:조회수가늘거에요.사람들에게노
출을 많이시키니깐.자신이 영상 에대해너무자책하지마세요.왜냐하면:그영상에만신경쓰면
다른영상,다른컨텐츠제작이어려워집니다.쉴땐쉬고,유튜브 영상업로드할땐 열심히최선 을
다해서하세요.

유튜브는나의:회사,직장이다.

그래서 유튜브 규율 이 까다롭다

유튜브회사는:미국에있습니다.

유튜브는 여러분 을 존경하고 대단해합니다.

유튜브를하는것은:존경받을일이다.남들은 그런걸어떻해라고하는데 우린 해내고있

으깐요.

유튜브를 하시는분들 정말대단한분들이고 칭찬받으실분들입니다.

유튜브는정작 나를 밀어주지 않지만 구독자들은 나를 이끌어내는 원동력입니다. 집에서 가족중에 유튜브를 하는사람이 있다면 이렇게말하세요:괜찮아,다음에는더좋은결과가있겠지,당신은해낼수있어 이런응원해주는 말을해준다면 그유튜브를 하시는분에게는 나의 원동력을 만들거에요.

유튜브는 너무   빠르게 생각하지마시고

나의 스케줄관리 를 먼저해보고 날짜를정하는것이좋다.우선1주일에1개이렇게올려보다가
안힘들면더해보셔도되요.만약 에 내가처음1주일에3번하는건쉬워서이제1주일에1개씩하면
피곤해집니다.스케줄관리는무조건필요합니다.

수익창출이 안된다고해서 마음안좋아하지 마세요.

우리는 수익창출 을 도전하려고 촬영하고 하는건 아니잖아요.
우린 취미로 영상을찍는다라고생각하세요.

유튜브 를 시작할때 두부 마음이면 절대안됩니다.
강인한마음이여야합니다이유:영상을 찍다보면 잘못된거같고 악플달릴수도있고
나자신의 얼굴에대한 악플들도있을것입니다.그런 댓글은삭제시키세요.

우리의목표는:나만의시청자를만들자입니다.

우리의목표는:나만의시청자를만들자입니다.

유튜브를 사랑하고 좋아하는사람은 무조건도전해보세요.

유튜브를 사랑하고 좋아하는사람은 무조건도전해보세요.

도전하는 용기는 대단하고 멋진 용기 입니다.

유튜브를시작해서 사람들에게 인정받는사람됩시다.

노력은 우리를 배신하지 않습니다.

노력은 우리를 배신하지 않습니다.

저작권 신고가 들어오면 우리가 할수있는조치

    1.놔두기
    2.해당부분삭제
    3.이의제기
    4.영상아예삭제

저작권신고를 받으면　채널에 타격을 받습니다.
수익　창출초록아이콘을못받을수도있습니다

신생 유튜버분들이해야하는것?

커뮤니티가이드읽기
유튜브 스튜디오 앱깔기,크롬 에서 도 들어가놓기
영상찍기
제목,설명작성후,업로드 한후
크롬,유튜브스튜디오 검색후,콘텐츠클릭,제한사항보기

유튜브는 시작이반입니다.
!신생 유튜버분 들 화이팅하세요!

유튜브는 시작이반입니다.
!신생 유튜버분 들 화이팅하세요!

유튜브채널의(주인공은:영상을만드는 나자신입니다.

꼭 화이팅 하시기 를 저는 간절히빕니다.

꼭 화이팅 하시기 를 저는 간절히빕니다.

2024년에 유튜브를 시작하세요

빨리쇼츠로대세가되어서하시면됩니다.
빠른시작은 빠른 성공을 만듭니다.

유튜브
지금제채널을보셨다면 지금당장 시작하세요

영상

잘만들어야합니다,편집은중요합니다,찍는건상관없습니다.이책을 읽어주셔서 감사합니다.이책을 보신분들은 오늘이라도 당장시도 하실수있습니다.긴책읽어주셔서 감사합니다.유튜브로행복하시고,좋은 일이풍성하길바람니다.

지금이라도유튜브시작하세요.
쫌있으면 더커진레드오션이 될테니빠른시작하세요.여러분들의선택지이겠지만
그선택이올바른선택이기를빕니다.

노력하는분은구독자2백명에서삼백명되겠죠
근데 유튜브를 늦게시작하면따라잡기 힘들고 포기해버리게됩니다.
여러분에선택은당연하진않겠지만:2백에서3백명이겠죠그만큼유튜브를시늦게
시작하는벌을받는것입니다.

우리유튜버들은멘탈이강해야합니다.

유튜버들의 멘탈은 유리와도같은멘탈이여야만 유튜브게에서성장할수있습니다.
마치 순두부갔은멘탈이시면 유튜버말고따른직업을 찾아나서세요.

1.일찍 유튜브 와 쇼츠를 시작하고 영상을 많이만들자.

2.멘탈은:유리와도같이되자

3.스케줄관리는 나의편하고,안바쁜시간대하자.

영상을 업로드하면 좋은시간

아침7시부터9시까지가제일시청자들이유튜브를보는시간입니다.
저녁6시부터9시까지가적당하게 업로드하면 좋은시간입니다.

유튜브 운영이쉬운것은아니란걸압니다

근데너무회사,직장에의존하지마세요.왜냐하면(여러분들은 나이가들고 저도 나이가들죠 모두 그렇죠 회사는 여러분평생다니지않잖아요.직장을 다니지 말라는것은 아닙니다. 취미로유튜브 를 시작해서 1개혹은2개씩 영상을찍어보세요 그럼그게 부수입이되서 받을 수있으니 나중엔 제말이 공감되실겁니다.

유튜브는 유명한 사람만하냐구요.정답은:절대아닙니다
저도 유명하지 않았습니다.채널시작 후1주일에서2주일하나보면 성과가보입니
다.꼭시작하세요.제가해주는 조언입니다.

시작하는것은 제몫이 아닙니다.
결정은 자신이하고 판단도 자신 해야합니다.
지금 이 글을 보고하시는분 은 하겠죠,안하시는분들 은 평생 직장 다니면 됩니다.
지금의 기회가당신의 인생과 삶을 전부변경 할수가 있습니다.

노래를 사용할때는 출처필수작성
저작권문제 걸리시지마시고 열심히 좋은 채널만들어나가세요.
다같이 골드버튼받는 그날까지 저는 같은자리 에서 늘응원하겠습니다.

노래를 사용할때는 출처필수작성
저작권문제 걸리시지마시고 열심히 좋은 채널만들어나가세요.
다같이 골드버튼받는 그날까지 저는 같은자리 에서 늘응원하겠습니다.

노력하는 사람은 자신의 인생의축복일것이고

노력해보지도않고 내가 저런걸어떻게 해라는 마음가짐은 채널을운영하기 싫다는말
입니다.

채널운영 에 필요한 준비물:
핸드폰카메라,카메라,삼각대,유튜브어플,유튜브스튜디오어플,조명,편집기등이필요합니다.

이 책을 읽으신분들은
많이 채널 운영하실겁니다.
처음 이어렵고,힘들어서 그렇지하다보면 누구나다한다.

이 책을 읽고 궁금한것이있다면 저에게 메일 주세요.
이메일 주소:anansuwan521@gmail.com친절하게답변해드릴게요

카카오톡 아이디:asd3690s
밴드명:유튜브상담 입니다. 공개밴드입니다.

여러분은자신의 미래와 맞써 싸울 인재입니다.

유튜브는어떤승인을거칠필요없습니다.
그냥찍어서,편집,업로드만하면끝입니다.쉽죠 근데 왜안하려고 하시나요.

빠른시작 은 여러분 이일 선택한 확고한 믿음입니다.

다른 유튜버들과 친하게지내세요.
그 사람들이나의 버팀목이 될수있고 든든한보약 같은것이될수도있습니다.

유튜브는 저작권만 조심한다면 채널이 삭제될일은없습니다.

유튜브는 알고리즘이잘노출시켜주면 조회수가느는것이   알고리즘입니다.

유튜브는 알고리즘이잘노출시켜주면 조회수가느는것이   알고리즘입니다.

유튜브는 구글계정만 있다면 사용가능니다.
2024년은 꼭유튜브를시작하세요.라고저는생각합니다.

여러분 모두 용기,열정 을 가지고해보세요.꼭잘될거에요.유튜브는 반전이많이일어납니다.

노하우만 잘녹여서사용하면 구독자는올라요 안오를순없어요.
제가 지금적어둔 말을항상 가슴 에 새겨두세요.

구독자가 안 늘어도 기다리다 보면 늘고 떨어지고를 반복하면서 올라갈 것이에요.
유튜브는 기다림과의 싸움입니다.

냐는 성공하는 유튜버가 아니라:나는노력하는 유튜버가 되어라.

냐는 성공하는 유튜버가 아니라:나는노력하는 유튜버가 되어라.

노력하고,열정적으로하는 사람이되어라 라고저는 말하고싶습니다.

노력하고,열정적으로하는 사람이되어라 라고저는 말하고싶습니다.

가족중에 유튜버가 있다면:마이크라도 하나사주세요.
그런게 유튜브하시는 분에게 힘이되는원동력입니다.

우리모두는위로받을수있는존재입니다.

유튜버들은존중받아야합시다.

여러분은 힘내실수 있는 존재입니다.

이책을 읽어주서서 감사하고
유튜버에 대해 궁금하신점 제 메일 남겨주세요.
anansuwan521@gmail.com

저작명

본 책은 저작자의 지적 재산으로서 무단 전재와 복제를 금합니다.

도서명:유튜브가이드

발행2024년1월19일

저자명:안수완

펴낸이:한건희

펴낸곳:주식회사 부크크

출판사등록2014.07.15

주 소:서울특별시 금천구 가산디지털 1로 119 sk트윈타워 A동 305호

전화:1670-8316

이메일:info@bookk.co.kr

ISBN:979-11-410-6767-0

www.bookk.co.kr

유튜브 가이드

글쓴이 안수완

정가 19,000원
03000

9 791141 067670
ISBN 979-11-410-6767-0